金色童书
Golden Books

斯凯瑞
最棒的故事集

Richard Scarry　　　理查德·斯凯瑞 [美]

贵州出版集团公司　　贵州人民出版社

Good morning!

请大河马
希尔达吃ABC

　　小花栗鼠查理想请希尔达吃美味大餐，可是查理不知道希尔达喜欢吃什么。

　　快来帮帮查理吧，从下面的字母中挑选出好吃的东西来。

Aa

汽车
automobile

苹果
apple

先请希尔达吃一辆汽车，
还是一个苹果呢？

Bb

床和香蕉，哪一个更好吃？

床
bed

香蕉
banana

你看见过大河马吃床吗？

Cc

钟
clock

希尔达会喜欢吃闹钟，
还是胡萝卜呢？

胡萝卜
carrot

要是她吃了闹钟，肚子会不会嘀嗒嘀嗒响个不停。

Dd

面包圈
doughnut

鼓
drum

用面包圈招待希尔达，还是来一面
鼓？吃鼓的时候用叉子，还是用勺子？

Ee

火车头
engine

蛋
egg

希尔达会喜欢吃鸡蛋，还是小火车头呢？

Ff

乳脂软糖
fudge

风扇
fan

乳脂软糖和风扇，哪一个吃起来更可口？

Gg

葡萄
grapes

手套
glove

葡萄甜，还是手套甜？

希尔达要是吃了一只手套，会不会
再吃一只？这样才能凑成一双啊！

Hh

帽子
hat

帽子和热狗，哪一个更香？

热狗
hot dog

吃帽子的时候放芥末吗？

Ii

冰淇淋
ice cream

再来点儿清凉的冰淇淋,怎么样?

Jj

希尔达会喜欢"鲜美的"吉普车,还是果酱呢?

吉普车
jeep

果酱
jam

吉普车的味道如何?和果酱一样吗?

Kk

风筝
kite

糖果
candy kiss

希尔达喜欢吃漂亮的风筝,还是彩色糖果?

Ll

刚洗好的衣服
laundry

柠檬汽水
lemonade

希尔达饿了的时候，会不会把这些衣服吞下去？

也许她更愿意喝柠檬汽水。

Mm

请希尔达吃个小拖把，　　　还是来一大块西瓜？

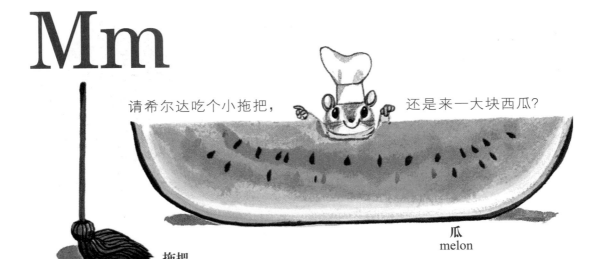

瓜
melon

拖把
mop

Nn

鸟窝
nest

她会喜欢鸟窝的味道，

坚果
nut

还是坚果的味道？

Oo

橘子
orange

背带裤
overalls

鲜艳的背带裤和新鲜的橘子，哪一个更好吃？

Pp

咬一口钢琴，感觉如何？

桃子
peach

钢琴
piano

还是换一只桃子？

钢琴可比桃子大多了，吃了会更饱吧？

Qq

棉被
quilt

睡觉前吃一口小被子怎么样？希尔达会喜欢吗？

Rr

烤肉
roast

电冰箱
refrigerator

要是希尔达饿坏了，会一口吞下冰箱吗？
或许她更愿意来一大块烤肉？

Ss

炉灶
stove

三明治
sandwich

给希尔达的三明治加点儿盐，或者请她
吃撒了胡椒粉的炉子吧。

Tt

希尔达会喜欢吃桌子, 还是西红柿呢?

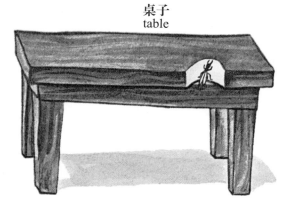

桌子
table

西红柿
tomato

白蚁就很喜欢吃木头。
看呀, 一只白蚁正在啃桌子呢!

Uu

不要请希尔达吃雨伞哦, 肯定很难吃!

雨伞
umbrella

Vv

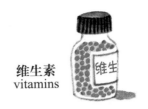

维生素
vitamins

最后再补充一点儿维生素。

Ww

水
water

来一杯水，把维生素片冲到肚子里去。

Xx

希尔达吃完丰盛的大餐，把刀和
叉子放在盘子里，摆成了 **X** 型。
这表示饭已经吃完了。

Yy

哈欠
yawns

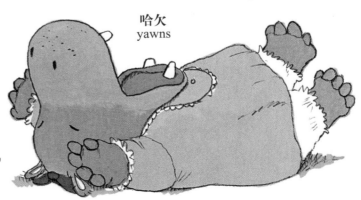

希尔达张开嘴巴，
打了个大大的哈欠！

Zz

吃得好饱啊，希尔达躺下来美美地睡一觉。

ZZ——ZZ——

她发出的鼾声可真有趣！

希尔达非常感谢你和查理请她吃的美味大餐。

这些都是她吃掉的——

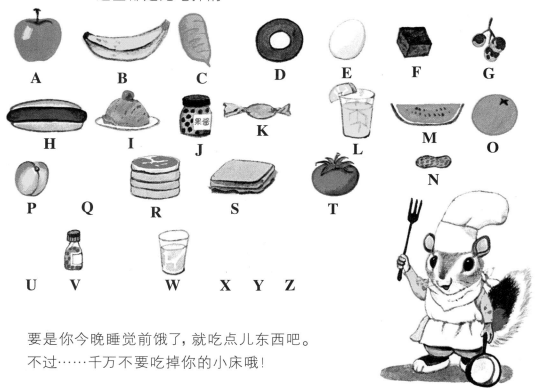

A B C D E F G

H I J K L M O

P Q R S T N

U V W X Y Z

要是你今晚睡觉前饿了，就吃点儿东西吧。

不过……千万不要吃掉你的小床哦！

小猫钓鱼

文 帕特希·斯凯瑞

一只小猫来到海边钓鱼，他想捕一条大大的鲸鱼。
A cat went down to the sea to fish.
He wanted to catch a whale.

小猫捕到大大的鲸鱼了吗？
Did he catch a big, big whale?

没有！
他倒是拉上来一根大大的树干。
NO!
He caught a big, big log.

小猫把大大的树干扔回大海里去了吗？
Did he toss the log back into the sea?

不是！
他掏出刀子开始削木头，
这儿削削，那儿削削。
这只猫到底想干什么呀？

NO. The cat did not.
He took out his knife and he cut the log.
He cut it here and there.
Now why did the cat do that?

17

看，他用树干造了一条捕鱼小船！
He did it to make a fine fishing boat.

小心啊！游来一头好大的鲸鱼！
So LOOK OUT all you whales!

我是一只小兔子

文　欧勒·瑞泽姆

我是一只小兔子。
我的名字叫尼古拉斯。
我住在树洞里。

I am a bunny.
My name is Nicholas.
I live in a hollow tree.

春天
spring

春天的时候，我喜欢在花丛中嬉戏。
In the spring, I like to pick flowers.

21

夏天
summer

在夏天，
我聆听小虫子嗡嗡的叫声。

In the summer, I listen to the insects
buzzing and humming.

秋天
fall

秋天到了，我欣赏着美丽的叶子从树上纷纷飘落。

In the fall, I like to watch the leaves falling from the trees.

冬天
winter

冬天，我心中充满喜悦，迎接漫天飞舞的雪花。
And, when winter comes, I watch the snow falling from the sky.

然后，我蜷缩在树洞里睡得香甜，做一个关于春天的梦。
Then I curl up in my hollow tree and dream about spring.

农夫比格种玉米

农夫比格把一粒玉米种子种在田里。

哗哗哗，雨点落下来，
滋润着泥土，种子发芽了。

温暖的阳光洒下来，
照耀着大地。
很快，小苗长大了。

小苗长啊长……
秋天到了，结出了三穗玉米。

比格把一穗玉米送给乌鸦先生。
一穗留给太太，她特别喜欢吃玉米！

比格用小刀把剩下的一穗玉米削成了一个烟斗！
一粒小小的种子能做这么多事，真是奇妙！

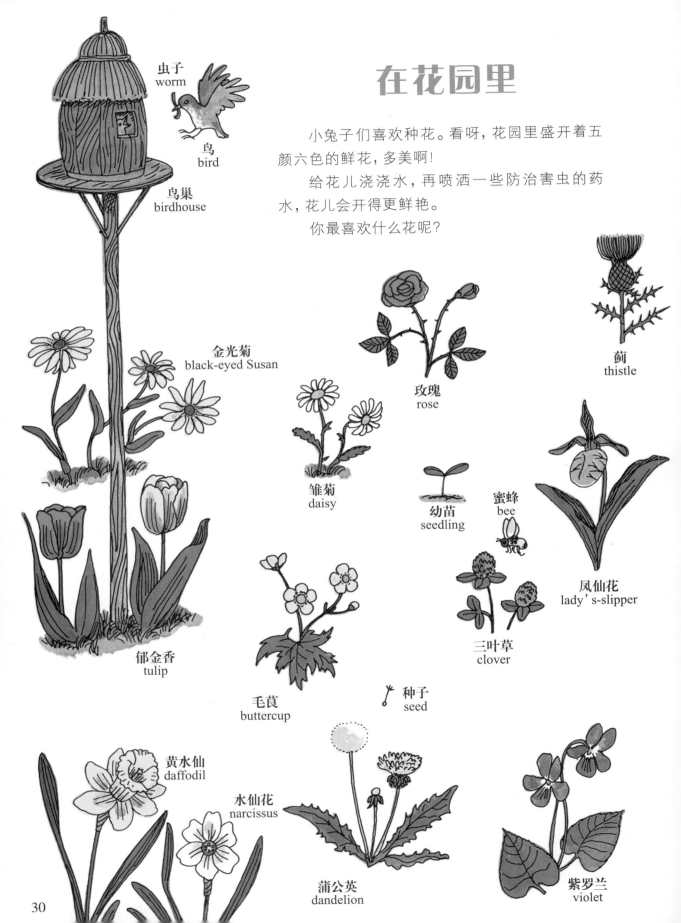

虫子
worm

鸟
bird

鸟巢
birdhouse

在花园里

小兔子们喜欢种花。看呀，花园里盛开着五颜六色的鲜花，多美啊！

给花儿浇浇水，再喷洒一些防治害虫的药水，花儿会开得更鲜艳。

你最喜欢什么花呢？

金光菊
black-eyed Susan

玫瑰
rose

蓟
thistle

雏菊
daisy

幼苗
seedling

蜜蜂
bee

凤仙花
lady's-slipper

三叶草
clover

毛茛
buttercup

种子
seed

郁金香
tulip

黄水仙
daffodil

水仙花
narcissus

蒲公英
dandelion

紫罗兰
violet

牵牛花
morning-glory

百日菊
zinnia

蜀葵
hollyhock

毛地黄
foxglove

矢车菊
bluet

石竹
pink

紫菀
aster

喷药壶
insect-spray can

风铃草
bluebell

美洲石竹
sweet William

矮牵牛
petunia

三色堇
pansy

甲虫
beetle

花篮
flower basket

洒水壶
watering can

铲子
trowel

铃兰
lily of the valley

花盆
flower pot

松土耙
cultivator

31

小狗和他的骨头

文　帕特希·斯凯瑞

　　有只小狗叼着一根美味的大骨头向溪边跑去，他打算一个人把骨头全吃掉。小狗跳上了搭在溪边的圆木头上。

　　忽然，他在水里发现了自己的影子，还以为那是另一只狗呢。

　　"哇！今天可以有两根香喷喷的骨头吃了。"贪心的小狗想。

　　他朝着水里那只小狗大叫起来："汪汪汪！"

　　扑通！小狗嘴里的骨头掉进水里。这下可好，他什么吃的都没有了！

　　贪心的小狗要饿肚子了。

晚安，小熊

文　帕特希·斯凯瑞

小熊宝宝该睡觉了，熊妈妈合上故事书，
给了小熊一个甜甜的吻。

大个子熊爸爸一下子把
小熊举到了肩膀上。
"嘿嘿！"

爸爸摇晃着他的小宝贝，朝着小熊的房间走去。

"小心，低头！"熊妈妈及时提醒。
父子俩回到了小熊宝宝温暖舒适的小卧室。

咯吱！

熊爸爸坐下来时，小床发出咯吱咯吱的声响。

"快到床上去吧。"爸爸闭着眼等待小熊自己爬下来。

小熊却不肯动，坐在爸爸的肩膀上偷偷笑。

熊爸爸等啊等……他打了一个大大的哈欠，睁开了眼睛。

"咦，我刚才是不是睡着了？"熊爸爸假装才醒过来，
"这是怎么回事？"

枕头上没有毛茸茸的小脑袋，小熊宝宝到哪里去了？

熊爸爸好像没感觉到，有东西正在他耳朵上挠痒痒呢。

38

"啊哈！"

熊爸爸发现毯子下面有一个小鼓包。
他在上面轻轻拍了拍，却没什么动静。

小熊会躲在下面吗？

原来是泰迪熊和蓝兔子啊，它们正等着小熊上床睡觉呢！

　　"熊妈妈，你那淘气小宝宝藏起来不见了。"
　　熊爸爸边说，边眨着眼睛。
　　"是不是躲到厨房的炉子下面去了？"
　　爱开玩笑的熊妈妈答道。

砰！砰！砰！

熊爸爸敲打着炉子上的锅碗瓢盆，大声喊着：
"小淘气，快出来，我找到你啦！"

熊爸爸又趴在地板上，伸着胳膊在炉子底下摸来摸去。
"咦？"
他抓到一个软软的、毛茸茸的东西，会是小熊吗？

不是。
原来是熊爸爸的一只旧手套。

熊爸爸从地上爬起来，小熊忍不住笑出了声，他赶紧用爪子捂住嘴巴。
"我听见那个小家伙在笑。"爸爸说，"他藏在哪儿了呢？"

"是不是躲在外面了？"
熊爸爸慢慢地转动把手，突然一下子把门打开！
可是外面没有小熊，倒是胖野兔一家正在啃园子里的蔬菜。
"走开，走开！"熊爸爸把他们赶走了。

"好像有东西藏在木箱里。"
熊妈妈压低声音说："你悄悄走过去，准能抓到小宝贝！"

吱嘎！

箱子里蹿出了一只小耗子。

熊爸爸又站在凳子上向瓷器架的上面张望。

咚地一下，小熊的头撞到了天花板。

"哎哟！"

"是谁在叫？"熊爸爸问，"熊妈妈，刚才是你在喊'哎哟'吗？"

"不是我啊！"熊妈妈笑着说，她还在逗熊爸爸呢。

　　"那个淘气的小家伙到底藏到哪儿去了呢? 他肯定不会跑远的,
没有哪只小熊是不馋巧克力蛋糕的。"

　　熊爸爸给自己切了一大块蛋糕, 大口大口地吃起来。

　　小熊忽然觉得饿了。

这时，熊爸爸来到了镜子前面。

"啊，他在那儿！"爸爸大喊。

"你抓不到我！"调皮的小熊伸出手去抓巧克力蛋糕。

哈哈!

小熊从爸爸的肩膀上滑落到沙发里,快活地跳来跳去。

"妈妈,我藏了个好地方,是不是?谁也抓不到我!"

"但是现在我抓到你了!"熊爸爸说。
小熊被爸爸夹在粗壮的胳膊下面,咯咯地笑……
这回他真的该上床睡觉了。

"你真的不知道我藏在哪儿了，是吗，爸爸？"小熊问。
熊爸爸却只是眨着眼睛笑了笑。

你觉得呢? 熊爸爸知道是怎么回事吗?

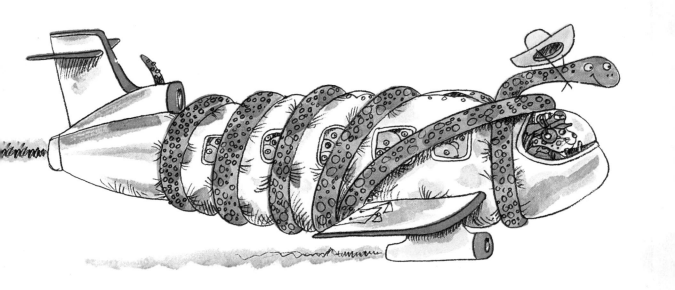

小猫泡泡在伦敦

梦想着美好前程的小猫泡泡来到伦敦。
他希望能为女王陛下效劳。

泡泡先来到了伦敦塔，他想成为一名威严神气的皇家卫兵。

真可惜！那里现在不缺人手。

泡泡又来到了女王陛下的宫殿。卫兵们都忙着站岗呢，根本没功夫跟他说话。

泡泡来到海军卫队试试运气。
海军士兵雄纠纠地大踏步走来，
泡泡真怕被踩到，赶快跑开了。

泡泡觉得好难过，他根本没机会为女王效劳。
"女王现在一定也很难过！"泡泡想。
忽然，他在街头看见了一条大新闻——女王陛下的戒指神秘失踪。

泡泡经过喷泉时，看到里面有好多为祈求好运扔进去的硬币。

忽然，他发现有个东西不像是硬币。

"哇，是一枚戒指！没准就是女王丢的那枚！"

泡泡高兴极了，他把戒指交给了警察。警察立刻带泡泡去参见了女王。

这正是女王陛下的那枚戒指！找回了戒指，女王非常开心！

女王任命泡泡为"皇家喷泉卫士"。

泡泡的工作就是每天把人们扔进喷泉里的"幸运硬币"捞出来。

女王用这些钱为那些无家可归的流浪猫买食物。

她可真是一位好女王啊！

尾巴的故事

小猪威利不喜欢自己的尾巴。
他觉得狐狸的尾巴好潇洒，很是羡慕。

不过，对于一头小猪来说，
狐狸尾巴太浓密了。

要是换一根牛尾巴，效果如何呢？

不行！
牛尾巴对于一头小猪来说太长了。

或许，
可以考虑一下神气的鳄鱼尾巴。

不不不！
鳄鱼尾巴长在猪身上实在是太可笑了！
威利觉得，自己的尾巴才是最好，最合适的。

刺猬先生的圣诞节礼物

文　凯西·杰克逊

伦敦城的圣诞节真是非常棒！
商店的橱窗里闪烁着五彩缤纷的灯光，里面摆满了精美的圣诞礼物。

小老鼠赶去看望朋友，一路上快活地喊着："圣诞快乐！"
刺猬先生心想：我要送给太太一份礼物！

什么礼物才是最好的礼物呢？
毛皮大衣吗？
刺猬太太已经有一件非常合身的了！

钻石王冠呢？

那么重的东西，戴在头上说不定会引起头疼。

香水呢？

没多大用处！刺猬们喜欢蕨菜和山楂的气味。

忽然，一个可爱的东西吸引了刺猬先生的注意，

不知是谁丢下的一只大红苹果，躺在路边洁白的雪地上。

　　刺猬先生把苹果捡起来，擦掉苹果上的雪，郑重地递给刺猬太太："亲爱的，圣诞快乐！"

　　"谢谢你！"刺猬太太真是太高兴了，"我要烤一张又大又甜，热乎乎的苹果馅饼！"

小刺猬们也都开心地欢呼起来："圣诞快乐！"
刺猬一家互相挽着胳膊，回到自己温暖舒适的洞穴。
不一会儿，屋子里就弥漫着苹果馅饼那脆脆甜甜的香味——
这是圣诞节里最幸福的味道！

耳边轻语

这一天，大象先生去拜访老鼠夫人。

"亲爱的夫人，你的家小巧玲珑，我进不去啊！"大象先生说，"你来给我讲讲你家里是什么样子的，好吗？"

"好啊！"老鼠夫人说，"不过你要保持安静，用鼻子把我举起来，我趴在你耳边告诉你。"

1 one

"我有一位英俊的丈夫,他正在帮我做家务呢!"

一位英俊的丈夫。
可是他真的在做家务吗?

2 two

"我家厨房里有两口锅,一口用来煮肉,
一口用来煮菜。"
"哇,一定很香!"大象先生说。

这是老鼠夫人的两口锅。
老鼠先生来尝尝菜煮熟了没有。

3 three

"你家里有几张床？"大象先生问。
"有三张床。"

one
two
three

老鼠先生喜欢一个人睡。

4 four

"家里有四座钟，我最喜欢的是那座带布谷鸟的。"

布谷鸟报时钟常常把老鼠先生吓一大跳。

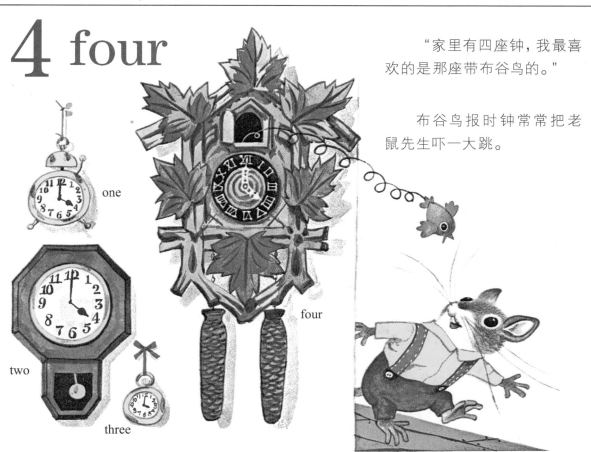

one
two
three
four

5 five

"到了晚上，五盏灯会把家里照得亮堂堂的。"老鼠夫人说。

老鼠先生喜欢为这些灯掸灰尘。

6 six

"我家里有六把椅子。"老鼠夫人轻声地说，
"有硬椅，也有沙发。"

老鼠先生最喜欢坐在沙发上看报纸了。

7 seven

"我有七顶可爱的帽子，可以搭配不同的衣服。"

老鼠先生怎么戴上了他太太的帽子？

8 eight

"我是个爱干净的家庭主妇，家里准备了八把笤帚，打扫卫生真方便！"

老鼠先生正在打扫地板。

71

9 nine

"我非常喜欢植物，家里种了九盆花，我天天给它们浇水。"

one

two

three

four

five

six

seven

eight

nine

这是怎么回事？老鼠夫人今天忘记为这盆花浇水了！

10 ten

"我还有十本非常有趣的书。"老鼠夫人轻声细语地说。

"都是些什么书啊？"大象先生问。

one   two   three   four

five   six   seven

eight   nine   ten

老鼠先生也喜欢读书。

看看，他现在正读什么书呢？

11 eleven

ten

seven

three

nine

one

six

eleven

two

eight

five

four

"我家墙上还挂着十一幅漂亮的画。"

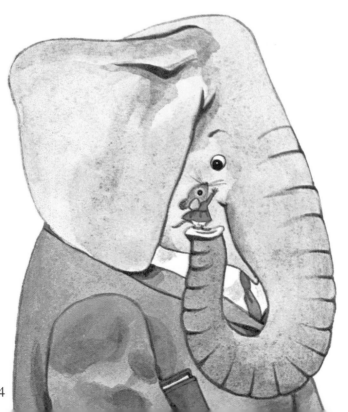

"你的家真棒啊!"大象先生赞叹道,"不过为什么你要在我耳边悄悄地说呢?"

"那是因为呀……"老鼠夫人压低声音说,"我那十二个小宝宝正在卧室里睡觉呢。"

74

12 twelve

来数一数正在睡觉的十二个小家伙!

为什么不悄悄告诉老鼠夫人,小宝宝们已
经睡醒了,现在正想出去玩呢!

谢谢你!

丹麦城堡

要是你住在城堡里，就必须要遵守一些规定。
其实在普通的房子里也是一样的。

不要在走廊里奔跑。

在餐桌上要注意言行举止。

不要把身体探出窗外，
很可能会摔下去。

拜见国王和王后的时候，
男孩要鞠躬，女孩要行屈膝礼。

在进入城堡之前，
先把脚底擦干净。

火龙饿了的时候，别忘了喂它。

调皮捣蛋的人会被关进地牢里。

点上一盏灯，帮助城堡里的女巫晚上能找到回家的路。

看好自己的风筝，别让它到处乱飞。

不要将直升机降落在屋顶上。

幽灵应该及时把脏床单放进洗衣机里。

所有的女巫用完扫帚之后，都要把它们放好。

经常给盔甲上油，不然穿起来会吱吱响。

不要把东西丢在楼梯上，免得把别人绊倒。

未经允许不准发射大炮。

不要爬进大炮里，除非你是炮弹。

不要给陌生人放下吊桥。

请先确定吊桥是否放好，然后再过河。

乌鸦与狐狸

文　帕特希·斯凯瑞

有只乌鸦嘴里衔着一大块美味的奶酪，站在一棵高高的树上。

这时候从远处走来一只饥肠辘辘的野猪。

"要是乌鸦见到我做鬼脸，一定会哈哈大笑。"野猪自言自语道，"奶酪就会从她嘴里掉下来。"

野猪朝着乌鸦做了一个大鬼脸。

可是，乌鸦的脸上连一丝笑容也没有。

这时，一头饥饿的小象走来了。

"把奶酪扔给我，乌鸦！"小象说，"不然我给你洗个澡。"

小象用鼻子喷出一股股水，害得乌鸦不停地躲来躲去。

可是，乌鸦并没有扔掉奶酪。

　　“把奶酪给我吧。”又来了一头大棕熊，“我拿这罐蜂蜜和你换。”
乌鸦不喜欢蜂蜜，她还是不肯丢掉奶酪。

　　乌鸦正打算吃掉奶酪，一只狡猾的狐狸走了过来。

　　"哇，美丽的乌鸦小姐。"狐狸笑眯眯地说，"你的样子真是迷人极了。你拥有如此漂亮的羽毛，也一定拥有动听的歌喉，请你为我唱首歌吧。"

可怜的乌鸦从来没听人夸讲过她漂亮，尽管她自己一向认为如此。
当然，也从来没有人称赞她的声音动听。
乌鸦非常开心地张大嘴巴，发出难听的声音——呱！

就在这时，奶酪掉了下去，正好落进了狐狸的嘴巴。
这只傻乌鸦啊！被甜言蜜语给蒙骗了。

猫头鹰胡迪学数数

小猫头鹰胡迪和妈妈到商店里去买东西。

他们买了一块奶酪、两个橙子，

还有三个苹果。

妈妈又挑选了四个鸡蛋。

再来五个洋葱、六根腌黄瓜，

统统装进篮子里。

他们还买了七根热狗。

东西都买完了。
胡迪和妈妈回家做晚餐。

"奶酪哪儿去了？"妈妈笑着问。
妈妈肯定知道答案。
是不是？

酷斯酷斯——阿尔及利亚侦探

酷斯酷斯是阿尔及利亚最出色的侦探,他特别擅长化装。

酷斯酷斯化了装,在强盗培伯的家门前走来走去。他绞尽脑汁想混进那个洞穴,把培伯一伙一网打尽。

你能看得出哪个是酷斯酷斯吗?肯定认不出来,因为他化装的技术非常高明!

突然,酷斯酷斯想出了一个好主意。他飞快地跑回警局,把自己的计划讲给助手们听。

"您的主意真是太棒了,酷斯酷斯!"大家听了以后都非常赞同。

瑞德大街

哈瑞路1号

天黑后，一支小分队来到了强盗培伯的老巢门前。

呸！呸！呸！

他们敲响了门。

　　"是谁？"大强盗培伯咆哮着问。

　　"是我呀，漂亮的舞女法蒂玛，还有我的乐队。"一个甜美的声音答道，"我们是来为您表演的。"

　　"进来，快进来。"培伯说着赶紧打开门让他们进来了。

　　法蒂玛的舞跳得真好啊！她真是太迷人了！

　　"再来一个！再来一个！"培伯高兴地喊着。

"我还有更多的惊喜要献给您。"法蒂玛说,"我先得蒙上您的眼睛。"
强盗培伯和他的同伙都被蒙上了眼睛,乖乖地跟着法蒂玛走出了房门……

一直被带到了……警车里!
强盗变成了犯人!培伯他们终于被精明的化装大师酷斯酷斯抓获了!
哈哈,酷斯酷斯可真是个有办法的家伙!

车辆大集合

出租车可以把我们送到任何要去的地方，非常方便。

老式福特车曾受到许多的人喜爱，非常流行。

警车在街上巡逻，确保大家的安全。

消防指挥车赶往火场时，总是呼啸而过。

老式旅行车的部分车身是由坚硬光滑的木头做成的。

跑车十分小巧，深受青年人的喜爱。

拖车把坏了的汽车拉到修理厂去。

越野车擅长爬坡，还可以穿越沙漠、沼泽。

自卸卡车的车斗可以翘起来，倾倒出所装载的货物。

严禁烟火

油罐车把汽油运往加油站。

赛车跑得非常快，它的发动机会发出巨大的轰鸣声。

幼儿园的校车每天按时接送孩子。

大多数的车最终都会像这样报废。

鹅妈妈
幼儿园

这是鼠小姐的家吗?

这里是鼠先生的家。

鼠先生独自一人生活,觉得非常孤单。

有一天,他收到一封鼠小姐写来的信,信里说:

亲爱的鼠先生,我非常孤单,你能来看我吗?

吻你!

鼠小姐

看完信后，鼠先生心里想：我很想去拜访鼠小姐，可是她没告诉我她住在哪里。不管怎样，我要开着小汽车去找她！

"前面有幢小房子，也许鼠小姐就住在那里吧。"
鼠先生开着车往前赶。

来到小房子前，鼠先生轻轻敲了敲门：
"请问这是鼠小姐的家吗？"

屋子里面传出了 **"喵——"** 的一声，
鼠先生被吓坏了，一溜儿烟就跑开了。

原来，这里是猫先生的家。

"这小耗子还挺机灵的。"
猫先生看着逃走的鼠先生说，
"有啥可怕的呢？"

不一会儿，鼠先生开车来到一座红色的谷仓前。
他敲了敲门，谷仓里面传来……

"咯哒——咯哒——咯咯哒——"

原来，这里是母鸡太太和小鸡宝宝的家。

"请不要打扰我们，我正在教孩子们练爪子呢。"母鸡太太说。

鼠先生继续前行，他又来到了一幢大城堡前面。
鼠先生敲敲城堡的大门，里面传来一声咆哮：

"嗷呜——嗷呜——"

原来，这里是狮子大人的城堡。

狮子大人现在的脾气非常糟，
他牙疼得都快哭了。
鼠先生吓得赶紧逃跑了。

最后，鼠先生来到一座可爱的小房子前，房子外面是一条迷人的乡间小路。
鼠先生敲了敲漂亮的黄色小门，"请问，这是鼠小姐的家吗？"
门慢慢地打开了。

没错，这里正是鼠小姐的家！

鼠小姐见到鼠先生真高兴啊，鼠先生见到鼠小姐也很高兴。
"你愿意嫁给我吗？我们永远生活在一起，就不会感到孤单了。"鼠先生问道。
"当然好啊！"鼠小姐回答。

鼹鼠神父为他们举行了婚礼。
鼠先生为鼠小姐戴上了一枚亮晶晶的钻石戒指。

从此以后……
鼠先生和鼠小姐再也不孤单了。

他们一起去郊外野餐；

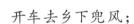

开车去乡下兜风；

在湖里划船游玩。

一天晚上，鼠先生和太太吃过晚饭后，忽然听到什么声音。
卧室里传来微小的"吱吱吱"的声音。
猜一猜是什么在叫呢？

是他们的鼠宝宝！
鼠宝宝想要爸爸妈妈来吻他，祝他晚安。
"晚安，鼠爸爸。"
"晚安，鼠妈妈。"
"晚安，鼠宝宝。"
"晚安——"

颜 色

黄色
yellow

这是黄色。
This color is yellow.

黄水仙也是黄色的。
Daffodils are yellow, too.

小鸡宝宝是黄色的，
Baby chicks are yellow.

蓝色
blue

这是蓝色。
This color is blue.

小兔子的水手服是蓝色的。
Bunny's sailor suit is blue.

天空是蓝色的。
The sky is blue.

红色
red

这是红色。
This color is red.

苹果是红色的。
An apple is red.

这辆三轮车也是红色的。
This tricycle is red.

绿色
green

蓝色加黄色变成绿色。
Blue and yellow make green.

胖胖的青蛙是绿色的。
A fat frog is green.

夏天时，叶子是绿色的。
In summer, leaves are green.

红色加黄色变成橙色。
Red and yellow make orange.

橙色
orange

小兔子的胡萝卜是橙色的。
Bunny's carrot is orange.

南瓜也是橙色的。
A pumpkin is orange, too.

紫色
purple

蓝色加红色变成紫色。
Blue and red make purple.

紫罗兰和蝴蝶花都是紫色的。
Violets and pansies are purple.

葡萄和李子也是紫色的。
Grapes and plums are purple.

棕色
brown

这是棕色。
This color is brown.

红色
red

黄色
yellow

蓝色
blue

黑色
black

混合在一起变成棕色。
make brown.

这只小狗是棕色的。
Puppy's fur is brown.

这匹小马也是棕色的。
This little pony is brown, too.

119

粉色
pink

红色加白色变成粉色。
Red and white make pink.

玫瑰花和小兔子的鼻子都是粉色的。
Roses and bunny noses are pink.

猪宝宝们也是粉色的。
Baby pigs are pink.

白色
white

这是白色。
This is white.

雪人是白色的，鸭子也是白色的。
A snowman is white, and so is a duck.

黑色
black

这是黑色。
This is black.

睡着的小熊是黑色的。
Sleepy bear cubs are black.

红色 red

黄色 yellow

蓝色 blue

绿色 green

鹦鹉身上的颜色可真多啊！
A parrot has many colors.

你最喜欢什么颜色？
Which is your favorite color?

汤姆钓鱼记

小猫汤姆去河边钓鱼。

他先是钓上来一条小鱼。

然后又钓到了一条大鱼。

哇，这回钓上来的可是庞然大物！

汤姆！小心！

哈哈，到底是谁钓谁啊？

巴黎警官皮埃尔

　　皮埃尔警官正忙着指挥交通，突然听到有人大喊：
"抓强盗啊，抓强盗啊！"
　　原来有贼偷了商店的珠宝，正准备逃跑呢。

　　皮埃尔警官立刻跳上自行车，跟在强盗后面紧追不舍，一边追一边拼命吹哨子。

　　嘟——嘟——

　　警察和强盗在拥挤的街道上开始赛跑。

突然，强盗开着车冲向了路边咖啡馆。他丢下车，跑了进去。

皮埃尔警官紧紧地跟着他。

嘟——嘟——

皮埃尔警官来到厨房。
"强盗在哪里？"他冲着厨师喊道。
可怜的厨师没看见什么强盗啊！

倒霉的皮埃尔，他把强盗给追丢了。

"啊哈，您煮的汤真是香极了！"皮埃尔警官对厨师说，"我可以尝尝吗？"

看啊！皮埃尔警官在汤里发现了什么？

是强盗！

原来他藏在了锅里！

不过在皮埃尔警官把强盗带走之前，他们一起坐下来品尝了可口的汤。

"这是我喝过的最鲜美的汤！"厨师对强盗说，"等你接受完惩罚之后，来这里帮我做汤吧。我就把它叫做'强盗汤'。"

大家都觉得这是个很棒的主意！

懂礼貌的小象

小象非常懂礼貌，他对人很友好，大家都喜欢他。
小象等车的时候，总是规规矩矩地排队，从来不推挤别人。

有时候，公共汽车上会很拥挤。

小象去朋友家玩，看到主人在门口迎接，他会摘下帽子问好："您好啊，夫人。"

懂礼貌的小象非常愿意给女士让座。

小象是一个受欢迎的客人。
他知道哪些房间是坐着聊天的，
哪些房间可以玩耍。

小象要回家了，他会向朋友们道谢。

"谢谢！"小象说，"今天玩得真开心。"

回到家里，小象先洗手、洗脸，然后再吃饭。

小象在自己的座位上坐下来。需要别人递东西时，小象会说"请"和"谢谢"。

朋友来做客时，小象会在门口迎接。
"你好！"小象说，"欢迎，快请进！"

小象把朋友介绍给妈妈：
"妈妈，这是吉米。"

懂礼貌的小象是一个好伙伴，他和
朋友分享自己的玩具，玩别人的玩具时
也会非常小心。

朋友要离开, 小象会将客人送到门口说: "欢迎再来我家玩。"

要是你遇到了懂礼貌的小象,
他会友好地摘下帽子向你问好:
"你好吗?"

音乐会

指挥家挥舞着指挥棒，真神气！整个乐队在他的指挥下演奏着美妙的音乐。

你想演奏哪一种乐器呢？快找出来吧！

低音管
bassoon

低音提琴
double bass

大提琴
cello

双簧管
oboe

单簧管
clarinet

小提琴
violin

短笛
piccolo

长笛
flute

钢琴
piano

指挥棒
baton

指挥
conductor

指挥台
podium

铋
cymbals

三角铁
triangle

小鼓
snare drum

大鼓
bass drum

法国号
French horn

小号
trumpet

大号
tuba

小手鼓
tambourine

短号
cornet

长号
trombone

吉他
guitar

竖琴
harp

口琴
harmonica

蒙迪警官是大家的好朋友，他工作非常认真。

蒙迪警官常常提醒大家：
"过马路时走人行横道。"
"注意看两边的车辆。"
"不要乱跑，步行前进。"

摩纳哥的
蒙迪警官

"不要向别人扔东西，
以免伤到他人。"

"绝对不要在深水池边玩耍，
附近可能没人来救你！"

"不要随便推撞别人，
没人喜欢行为粗鲁的人。"

危险

"坐车时不要将身子探出车窗外。"

"不要在马路中间追赶皮球。"

"要在人行道或自家院子里玩耍。"

"永远不要跟陌生人走。"

"坐在车里要注意自己的言行，要像一位小姐或绅士。"

"千万不要把迷路的鳄鱼带回家，没准它会咬你的！"

143

小花栗鼠的生日聚会

今天是小花栗鼠的生日，他邀请森林里的朋友们来参加生日聚会。朋友们来啦，小花栗鼠热情地和大家打招呼。

"嗨，小兔子！"
"嗨，小老鼠！"
"嗨，可爱的小羊！"
"嗨，驴子大哥！"
"嗨，青蛙老弟！"

145

"大家等一下哟！"花栗鼠妈妈说，"聚会开始之前，要先把耳朵洗干净！"看看，小兔子的那对耳朵可真不小呢！

小花栗鼠和小老鼠在厨房里帮忙。
每次开聚会时，妈妈都是最辛苦的。
小老鼠，你在做什么呢？等聚会开始大家一起吃哟！

吃过丰盛的大餐，伙伴们一起来到外面做游戏。

小花栗鼠和小老鼠都穿着救生衣，在池塘里划船要格外小心，要是掉进水里会有生命危险的。

划过船后，大家又去捉蝴蝶。

小花栗鼠拿着网子追啊追，他可不是一个捕蝶能手啊！

伙伴们又玩起了跳山羊的游戏。
一，二，三，跳得高！

再来玩一会儿捉迷藏。
小花栗鼠要把朋友们找出来。
咦，小老鼠藏在哪里了？你能找到他吗？

玩得真开心，大家都来休息一下，吃点儿冰淇淋，喝点儿柠檬汽水吧！
小伙伴们都戴上可爱的帽子，青蛙老弟来演奏一段乐曲。

小老鼠采来了美丽的鲜花，献给了花栗鼠妈妈，
感谢她为大家准备了这么棒的聚会。
小老鼠可真懂事啊！
你的生日聚会怎么样？一定也很精彩吧！

美妙的惊喜

要是我写了一封信，

并把它寄给……

一个我爱的人。

我爱的人也会写信给我……

154

懂礼貌的波波

波波见到朋友时高兴地打招呼：
"汪汪，你好！"

波波非常乐意为女士效劳。

收到礼物时，波波会说：
"汪汪，谢谢！"

买东西时，波波会说：
"汪汪，请……"

吃东西的时候……

唉，这个淘气的波波，礼貌就全都忘光了！

吃东西时怎么能坐在盘子里呢？

乡下老鼠
城里老鼠

文　帕特希·斯凯瑞

安妮是一只小老鼠，在乡下过着平静的生活。
一天，她的一位朋友从城里来做客，安妮非常高兴。
"亲爱的梅丽莎，欢迎到乡下来。"安妮说。

安妮精心准备了美味的午餐，还叫上了许多朋友，大家热热闹闹地吃起来。
可梅丽莎却是一副没胃口的样子。
"在城里，我吃的是香甜的蛋糕，喝的是浓浓的红酒。"
城里小姐得意洋洋地说。

"我城里的家中有一台
能播放音乐的机器，我就踩着
天鹅绒地毯翩翩起舞。"

"安妮，抛弃这单调的乡下生活，和我一起去城里吧！"梅丽莎说。
"听上去真诱人啊！"安妮说。

159

安妮决定和朋友去城里开开眼界。

嘀嘀！嘟嘟！

"请慢点儿开吧！"安妮恳求道。

"我听不见——"梅丽莎大声喊，"多刺激啊，是不是？"

梅丽莎在城里的家非常漂亮，非常好玩。两只小老鼠开心地跑进大厅。

"汪——汪汪！"突然传来一个凶恶的声音。

"救命！快逃啊！"梅丽莎尖叫着，"是那条狗！"

两个朋友吓得浑身发抖，飞奔着逃命。

"砰"，她们关上了餐厅的门，狗被挡在了外面。

可怜的安妮快被吓晕了。

梅丽莎说："那条可恶的狗总是追赶我。"

"来吧安妮，我们爬上桌子大吃一顿。看！食物多丰盛啊！你见过吗？"

"没……见过……"安妮气喘吁吁地回答，她还在抖个不停。

桌子上摆满了新鲜的水果、诱人的奶酪，玻璃杯里还盛着一点儿葡萄酒。

"啊！那是什么？"安妮喊道，"是猫！"

"跑啊！快跑！"梅丽莎哭喊着。

幸好她们及时跑进卧室，关上门把猫拦在了外面。

"天啊！"安妮哭着说，"真是太可怕了！"

"没关系，慢慢就习惯了。"梅丽莎说，"来吧，我们放点儿音乐，你想跳舞吗？"

"不，谢谢你。"安妮只想马上离开，回家去。

"你要去哪儿啊？"梅丽莎问道。

"回家，回乡下去。"安妮喊道。

"再见了，梅丽莎。谢谢你的款待。呜哇——救命啊！"

安妮穿过了整座城市。
她跑啊，跑啊，一直跑回到翠绿色的、宁静的乡村。

到了晚上，安妮又能和平常一样，跟朋友们喝茶聊天。

她对朋友们说："我宁愿在乡下过简单平静的生活，也不想在担惊受怕中品尝佳肴。"

小兔宝宝的故事

文　帕特希·斯凯瑞

兔爸爸把小兔宝宝抛到空中，逗他开心。
"我的宝宝长大后会做什么呢？"兔爸爸问道。

兔宝宝朝大家微笑，他知道自己长大后想做什么。

　　“小兔宝宝长大后会成为一名帅气的邮递员，把信件和邮包送给千家万户，大家都欢迎他。”兔爸爸说。

馋嘴的兔表哥希望小兔宝宝长
大后开一家糖果店。
"兔宝宝会把"小笑脸"棒棒
糖分给每个乖孩子，多好啊！"

甜面包

兔伯伯觉得小兔宝宝长大后会成为一名火车司机。

"嘀嘀——出发啦！我们的小兔宝宝拉响汽笛，多神气啊！"兔伯伯说。

可是小兔宝宝长大后不想做邮递员，不想卖糖果，也不想当火车司机。
你看，他啃胡萝卜的样子聪明又可爱，他知道自己长大后想做什么。

"小兔宝宝长大后会成为一名飞行员。"兔姐姐说,"背着降落伞从飞机上跳下来,感觉真棒!"

"要我看呀,当一名消防员也不错啊!"兔婶婶说,"开着消防车去救火。"

"还是当一名农夫好,可以开漂亮的红拖拉机。"兔叔叔说。

　　可是小兔宝宝不想做消防员、飞行员，
也不想开拖拉机。
　　兔宝宝在爸爸的膝盖上又跳又笑，你
猜得出他长大后想做什么吗？

兔宝宝长大后会有很多孩子，他会喂小宝宝们吃东西，睡觉前还给他们讲故事。
这就是小兔宝宝长大后想要做的，他要当一名兔爸爸。

拖船工汤姆

拖船工汤姆正忙着把一艘大轮船拖入海港。

忽然,他听到呼救的声音。
"救命啊!"

是一艘帆船要沉没了吗?
不是!

是一艘货轮被锯成两半了吗?
不是!

原来是大河马希尔达!
她骑在泡沫马上游得太远了。

希尔达可真够大的!
她应该好好照看自己。

在罗马交好运

　　费德和玛丽亚第一次来罗马玩，他们听说罗马有一座著名的喷泉，把硬币扔进喷泉里就会交好运。

　　费德停下了车，向警察询问"好运喷泉"怎么走。

　　就在这时……

费德的车自己开跑了！可怜的玛丽亚不会开车的。
"追上那辆车！"费德对出租车司机说。

凯撒大帝

"救命！救命啊！"
玛丽亚大声呼救。

费德的小汽车在圣彼得广场上飞驰着。
瑞士卫兵也被叫来帮忙，可是车跑得太快了。

乒乒乓乓，大家摔下了西班牙台阶。

小汽车冲过窄窄的街道，一下子跌进了"好运喷泉"里。

184

"你一定会交好运的！"警察对费德说。

"别人都是向喷泉里扔硬币，你把整部车都扔了进去，肯定会交到好运的！"

185

洞里的鸡蛋

　　一天，母鸡亨妮在谷仓的干草堆里下了一只蛋。蛋一落地，骨碌骨碌地顺着地板上的洞滚到下面的房间去了。

　　"天啊！我的宝贝蛋可千万别丢啦！"亨妮紧张地冲下楼梯喊道。

　　"看见我的蛋了吗？"亨妮问正在楼下吃饭的山羊。

　　"是的，我见到了。"山羊说，"它掉在了我的冰淇淋上，然后一路滚过桌子，跳出窗户跑了。"

亨妮跟着追到了窗边。

"看见我的蛋了吗？"亨妮问小鸟。

"是的，我看到了。"小鸟回答，"它沿着排水管滚啊滚，骨碌一下掉下去了。"

亨妮急忙跑到门外。

"看见我的蛋了吗？我真担心把它弄丢了。"

"你的蛋刚刚砸到了我的头。"坐在门口的猪说，"然后又滚过我的背，顺着我尾巴，一跳一跳地跑了。"

亨妮急匆匆地追去，蛋却骨碌碌滚进地洞里。

正在这时，地洞里钻出一只小老鼠。

"夫人，"小老鼠说，"我找到了您的蛋。但发生了点儿意外……蛋摔碎了，变成了许多碎片！不过……您还是自己来看看吧。"

"哈哈！一只刚刚出壳的小鸡宝宝！"

亨妮真是太高兴了，本以为蛋丢了，谁知却变回了一只小鸡宝宝。

"唧唧唧，妈妈。"小鸡宝宝叫着。

滑稽的奥地利人斯通伯

斯通伯是个邋里邋遢的家伙，他从来不把东西整整齐齐地放好，总是喜欢乱七八糟地扔进橱柜里。

斯通伯把大号扔进了橱柜。
手套、夹克、炒锅，统统被他扔进了橱柜。

粗心大意的斯通伯想找什么东西时，从来都找不着。

周六的晚上，镇上要举办音乐会，斯通伯想演奏大号。他花了整整两天的时间找大号，最后终于找到了。

斯通伯把大号顶在头上，倒骑着自行车上路了。

"看啊！这就是那个可笑的家伙。"镇上的人议论纷纷，
"等着瞧吧，他在音乐会上肯定会闹笑话的！"

音乐会快要开始了，乐队指挥在倒计时："三、二、一，开始！"

斯通伯鼓着腮帮子吹起大号。可是,大号一点儿声音都没有。

斯通伯卖力地吹着,大号还是不出声。这下他急了,深深地吸了一口气,使出全身的劲儿一吹……

兹兹——兹兹——砰！

"看啊，斯通伯真是闹出大笑话啦！"全镇的人都哈哈大笑起来。

快乐的十二个月

文　帕特希·斯凯瑞

一 月
January

一月——带来了新的一年！
乘着雪橇在银白色的雪地上滑雪，
还可以在光溜溜、亮晶晶的池塘上溜冰。
摘下手套，喝一杯香浓的热咖啡。
拿些面包屑喂小鸟，它们的肚子饿坏了。

二 月
February

二月——泥泞又短暂，只有二十八天可以玩。
每隔四年一闰年，闰年的二月有二十九天。
天气有时很晴朗，有时却是阴沉沉的。
二月最棒的日子就是情人节。

三 月
March

三月——多风的季节，最适合放风筝、玩滑轮了！
在圣帕特里克节那天，要穿上绿色的衣服。
知更鸟开始歌唱："春天来了！春天来了！"
熊也从漫长的冬眠中苏醒过来。

四月
April

四月——充满了乐趣!

第一天是愚人节, 一个可以开玩笑的日子。

四月的天气也很喜欢开玩笑。

一会儿和风煦日, 一会儿冷得让人打喷嚏。

快带上一把伞, 好像要下雨,

谁知出了个大太阳, 照得大地暖洋洋。

布谷鸟在筑巢, 紫罗兰悄悄绽放, 到处是湿滑的小水洼。

毫无疑问, 四月充满欢乐和趣味。

看看谁来了? 复活节的小兔子!

五 月
May

五月——出门玩耍的好时节，处处都是鸟语花香。
草坪上、水池里、窗台上，漂亮的水仙在怒放!
处处传来小动物们快活的声音，他们勇敢地接受挑战。
小鸭子嘎嘎叫，小海龟拍打着沙滩。
心情激动，无法平静，除非来到绿草如茵的山岗上。

六 月
June

六月——学校就快要放假了，每天要做的就是玩啊玩，万岁！

我们躺在草地上静静地聆听……

蜜蜂嗡嗡的叫声！蜂鸟振动翅膀的声音！小虫子爬行的声音！

六月是欢乐的季节！多彩的季节！

来到小溪旁，把脚趾浸在清凉的溪水里。

希望飞来一只蝴蝶，停留在鼻子尖上。

七 月
July

七月——在"轰隆隆"的声音中开始！
有时是电闪雷鸣，照亮整个天空。
有时是鼓手伴随着进行曲，走过家门。
你可以穿戴整齐，扛着旗子，演奏乐曲。
也可以到冷饮店去，来点儿清凉的饮料。
夜晚，银色的流星划过深蓝的夜空。
快快许个愿吧！
许下一个美好的愿望……

八月
August

八月——热气腾腾，酷暑加上冰淇淋。
或许你去海边玩耍……
或许你在家里玩水……
光着脚丫躺在吊床上悠悠晃晃。
夏天要过去了，鸟儿也睡得很晚。
晚餐烤热狗，炉子架在户外——
美好的日子让人迫不及待！

九 月
September

九月——穿上新鞋子，回到学校去。

葡萄长得胖嘟嘟，苹果变成红脸蛋。

早点上床睡觉吧。

白天越来越短，玩儿的时间也变少了。

夏天走了，秋天来了。

多穿衣服别着凉了！

十 月
October

十月——橙色、红色、金色的季节。

叶子一片一片，慢慢地飘落。

把落叶堆积成一座小山，

你可以在上面跳来跳去，然后躺下来；

农夫开始收割干草，谷仓已经被堆满。

白天变得越来越短，

要等上一个月才能迎来古怪的万圣节。

你打算扮演什么呢？

幽灵？巫婆？还是女王？

十一月
November

十一月——飘满了火鸡、葡萄和南瓜饼的味道。

燃起落叶，烟雾在空中袅袅上升。

有的动物开始挖掘洞穴，准备一直睡到第二年的春天。

有蟋蟀在你家里过冬吗？

你听到它们唱歌了吗？

树林变得光秃秃的。

现在可以看见可爱的鸟窝，

夏天时鸟窝都藏在茂密的叶子后面了。

十二月
December

十二月——等啊、盼啊，都是为了圣诞节。

这是一年当中最幸福的日子。

快把长长的越桔藤、爆米花球和彩色的小糖果都挂在树上吧！

礼物要藏到没有人能发现的地方。

这个月要表现得乖乖的，有人会从烟囱里冒出来。

那就是快乐的圣诞老人！

Good night!
Sleep tight!

蒲公英 图画书馆

RICHARD SCARRY'S BEST STORYBOOK EVER

Copyright © 1968 by Random House, Inc.

Copyright renewed 1996 by Random House, Inc.

This translation published by arrangement with Random House Children's Books,

a division of Random House, Inc.

本书由Random House 出版社授权贵州人民出版社在中国大陆地区独家出版、发行

图书在版编目（CIP）数据

斯凯瑞最棒的故事集／（美）斯凯瑞著；康宁译 .
—贵阳：贵州人民出版社，2007.12
（蒲公英图画书馆 . 金色童书系列）
ISBN 978-7-221-07966-4

Ⅰ . 斯 ... Ⅱ .①斯 ...②康 ... Ⅲ . 图画故事—美国—现代 Ⅳ .I712.85

中国版本图书馆 CIP 数据核字（2007）第 195243 号

蒲公英童书馆

斯凯瑞最棒的故事集 ［美］理查德·斯凯瑞 著　康 宁 译

出 版 人	曹维琼	经　销	全国新华书店
策　划	远流经典文化	印　制	北京昊天国彩印刷有限公司 (010-69599001)
执行策划	颜小鹂　李奇峰	版　次	2008 年 3 月第一版
责任编辑	苏桦　于姝	印　次	2012 年 8 月第七次印刷
设计制作	RINKONG 平面设计工作室	成品尺寸	255mm×185mm　1/16
出　版	贵州出版集团公司	印　张	13
	贵州人民出版社	书　号	ISBN 978-7-221-07966-4
地　址	贵阳市中华北路 289 号	定　价	36.00 元
电　话	010-85805785（编辑部） 0851-6828477（发行部）		